LEVEL 2
DRAGON
GEEK

BRIONES   HUET

**SCÉNARIO : PHILIPPE BRIONES & ROMAIN HUET**
**DESSIN : PHILIPPE BRIONES**
**COULEUR : ROMAIN HUET**

ankama

Bibliographie de Philippe Briones :

**Soleil**
• *Les Seigneurs d'Agartha* / Tome 1 & 2 (2001-2002)
• *La Geste des Chevaliers Dragons* / Tomes 2 et 4 (2002-2006)
• *Kookaburra Universe* / (2004) et plusieurs collectifs.

**Label Fusion (Soleil/Panini)**
• *Wanderers* / dessin et encrage, sur un scénario original de Chris Claremont (2008)

**Marvel**
• *White Tiger* / dessin, encré par Don Hillsman (2006)
• *Namor #1-6. #4-6* / dessin, encré par Scott Hanna (2007)
• *X-Men Legacy #216* / dessin, encré par Scott Hanna (2008-2009)
• *X-Men Legacy #219* / dessin encré par Cam Smith (2008-2009)
• *X-Men Legacy #225* / dessin et encrage (2008-2009)
• *Mrs Marvel #245* / dessin et encrage (2009)
• *American Son #1- 4* / dessin et encrage (2010)
• *Iron Man Legacy # 10-11* / dessin, encré par Jeff Huet (2010)
• *Web of Spider man #7 & 12* / dessin et encrage (2010)
• *Captain America Corps #1-5* / dessin et encrage (2011)

**Ankama**
• *Karaté Boy* / dessin et encrage ( 2012)
• *Geek Agency* / Tomes 1 & 2 (2013)

**Valiant**
• *Harbinger #6* (2012)

*Je remercie toute l'équipe d'Ankama de nous permettre de voir l'aventure Geek Agency se poursuivre, s'étoffer.*
*Un grand merci à mon comparse, mon ami, Romain. Pleins de bisous !! ;-)*
*Merci à tous les lecteurs, journalistes, chroniqueurs, bloggers, libraires et à toutes les personnes*
*qui contribuent de près ou de loin à faire connaître cette série.*
*Merci aux nombreux participants du jeu du tome 1. J'espère que les deux gagnants se reconnaîtront. :))*

Philippe

*Un gros merci à tout ceux qui participent de près ou de loin à l'aventure de Geek.*
*Merci à Ankama de laisser Tim et Adam continuer leurs aventures !*
*Merci à tous les participants du tome 1 et félicitations aux deux gagnants !*
*Un fucking merci à Phil, mon ami et compagnon de route ! Merci pour tout !*

Romain

Tournées dédicaces, concours, illustrations inédites…
Retrouvez toute l'actu de Geek Agency sur Facebook,
et suivez les auteurs sur leur site http://www.leftandrightstudio.com !

Première édition
Dépôt légal : juillet 2013
ISBN : 978-2-35910-455-4
Imprimé par Proost en Belgique

Scénario : Philippe Briones & Romain Huet
Dessin : Philippe Briones
Couleur : Romain Huet

Graphisme & maquette : Camille Pradère
Relecture : Ninth Art Help

*Geek Agency* par Philippe Briones et Romain Huet
© 2013, Ankama Éditions

HI HI !

SI TU VOYAIS TA TÊTE...

C'EST QUOI ENCORE, CE BINZ ?

TIM ?

QUI ES-TU, FILLETTE ?

OH, JE VOIS...

IL NE T'A JAMAIS PARLÉ DE MOI... ? BIEN SÛR QUE NON... POURQUOI L'AURAIT-IL FAIT ?

HEIN, TIM...

MON FRÈRE ADORÉ...

TU N'ES PAS RÉELLE...

LES ENFANTS, ATTACHEZ-VOUS ! TIM, AIDE TA SŒUR...

J'VEUX PAS QU'ON ATTACHE MON DOUDOU. IL AIME PAS ÇA !

TIM ! TU M'ÉCOUTES ?!

IL AIME PAS ÇA DU TOUT, KAPI.

M'MAN...

QUOI... ?

OH, MON DIEU !

BAISSEZ-VOUS !!

MAINTENANT !

J'AI SI FROID... !

TIENS BON...

C'EST TROP DUR...

NE ME LAISSE PAS TOMBER, JE T'EN PRIE !

TIENS-MOI DES DEUX MAINS !

IL Y A TROP DE VENT, JE N'Y ARRIVERAI PAS TOUT SEUL ! TU DOIS M'AIDER !!

AURORE, LÂCHE KAPI ! IL EST FORT, ON LE RETROUVERA !!

J'Y ARRIVE PAS ! J'AI TROP FROID... !

J'AI PEUR, TIM ! JE GLISSE ! JE VAIS LÂCHER ! JE N'AI PLUS ASSEZ DE FORCE...

NE LÂCHE PAS MA MAIN... !

NE LÂCHE PAS...

AURORE...

MA MAIN...

AURORE...

CONTENT DE VOUS REVOIR, MESSIEURS.

NOUS ALLONS PROCÉDER À QUELQUES MESURES DE PRÉVENTION AVANT QUE VOUS N'ALLIEZ PLUS LOIN.

WHAOUH ! QUEL ACCUEIL !

MERCI D'OBTEMPÉRER.

HOP HOP HOP !

VEUILLEZ ÉLOIGNER VOS INSTRU- MENTS DE BARBARES...

IMMÉDIATEMENT.

SOIS PAS CHOCHOTTE !

AÏÏÏEUH !!!

PRINCIPE DE PRÉCAUTION ! VOUS AVEZ ÉTÉ EN CONTACT AVEC DES AGENTS DE TERRE BLEUE !

MÊME PAS !

PRENDS EXEMPLE ! J'OFFRE MON BRAS À LA SCIENCE !

PCHHII QUAAAHHHE !

NON, MAIS Z'ÊTES MALADES ?!

EH, DU CALME !

POURQUOI ON N'EST PAS RENTRÉS DIRECT AU Q.G. SUR DURAGON PLUTÔT QU'ICI ?

CE SONT LES ORDRES !

BONSOIR CHÉRI, COMMENT VAS-TU ?

BZZT ...

BONSOIR CHÉRI, COMMENT VAS-TU ?

...

A.R.T.H.... DÉSACTIVE L'APPLI ABBEY.

APPLI ABBEY DÉSACTIVÉE.

JE VOIS QUE VOUS AVEZ FAIT BONNE RÉCEPTION DE MON RAPPORT, SUPERVISEUR.

LES PORTRAITS-ROBOTS QUE J'AI DRESSÉS DE CES CRÉATURES M'ONT MENÉ À UNE IMPASSE.

LORSQUE J'AI LANCÉ UNE RECHERCHE DANS LES DONNÉES DE L'AGENCE, IL N'EST RESSORTI AUCUNE CONCORDANCE.

UN MONDE DE DÉSOLATION, D'EXILÉS, D'ASSASSINS, D'ÊTRES DE LA PIRE ESPÈCE.

UN MONDE QUI A MOTIVÉ LA CRÉATION DE LA GEEK AGENCY.

OUI, ÉVIDEMMENT.

QUE SAVEZ-VOUS D'EXOLIA ?

CE QU'ON M'A ENSEIGNÉ À L'ACADÉMIE EN COURS D'HISTOIRE ANCIENNE.

POURQUOI CETTE QUESTION, SUPERVISEUR ?

J'AI PEUR QUE CETTE FOIS-CI, NOUS NE SOYONS EN MESURE DE FAIRE FACE. TERRE BLEUE EN EST UN TRISTE EXEMPLE, UNE TRAGÉDIE.

NOUS VIVONS DES HEURES SOMBRES, PRIOR, BLESSÉS DANS NOTRE PROPRE CHAIR...

VOUS PENSEZ À TIM ?

CE QUE J'AI TOUJOURS CRAINT POUR TIM EST FINALEMENT ARRIVÉ. SA VIE EST JALONNÉE DE PERTES DOULOUREUSES ET CELA M'AFFECTE SUR UN PLAN PERSONNEL.

J'AI ÉLEVÉ TIM COMME UN FILS À LA MORT DE SES PARENTS. J'AI FAIT MON POSSIBLE POUR QU'IL DEVIENNE...

... UN HOMME SOLIDE. ET POUR LUI INCULQUER LES MOYENS DE SE PROTÉGER... LUI-MÊME...

ADOLESCENT, IL ÉTAIT ÉMOTIONNELLEMENT FRAGILE... COMMENT POURRAIT-IL EN ÊTRE AUTREMENT ?

IL A VU SES PARENTS MOURIR SOUS SES YEUX... ASSASSINÉS.

IL Y A UNE CHOSE QUE JE N'AI PAS MENTIONNÉE DANS MON RAPPORT.

À NOTRE ARRIVÉE SUR DURAGON, NOUS NOUS SOMMES RETROUVÉS FACE À UNE ENFANT DE CINQ OU SIX ANS... ROUSSE.

ELLE PRÉTENDAIT ÊTRE LA SŒUR DE TIM...

JE NE SAVAIS PAS QU'IL...

PARCE QU'IL N'A *PAS* DE SŒUR !

IL N'EN A PLUS.

ELLE S'EST ÉTEINTE AVANT DE SOUFFLER SA PREMIÈRE BOUGIE... UN TRAGIQUE ACCIDENT.

POURTANT, TIM N'A PAS RECONNU UN BÉBÉ MAIS BIEN UNE ENFANT DE SIX ANS...

QUI PRÉTENDAIT ÊTRE SA SŒUR. J'AI BIEN COMPRIS.

ÉCOUTEZ. JE NE SAIS PAS CE QUE VOUS AVEZ VU OU CRU VOIR ! IL SE TROUVE QUE SA SŒUR EST DÉCÉDÉE IL Y A LONGTEMPS.

J'ESPÈRE SIMPLEMENT QUE LA MORT D'ABBEY N'A PAS RÉVEILLÉ SES VIEUX DÉMONS.

JE M'ENTRETIENDRAI AVEC L'AGENT CARTER PERSONNELLEMENT.

VOUS POUVEZ DISPOSER, STAGIAIRE PRIOR.

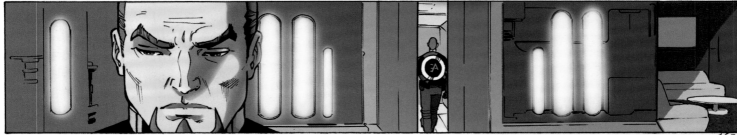

ET MAINTENANT, SUPERVISEUR ?

PIÈCE SÉCURISÉE. COMMUNICATION BROUILLÉE. IDENTIFICATION : AGENT MATRICULE X12.238.BR.

"CONTENT DE T'ENTENDRE DE NOUVEAU, TREVOR."

JE VOUS ENVOIE DES DONNÉES RÉCUPÉRÉES SUR UN AGENT DOUBLE DE TERRE BLEUE. PROCÉDEZ À L'ANALYSE.

MES SOUPÇONS SE CONFIRMENT. IL Y A EFFECTIVEMENT DES AGENTS NOIRS INFILTRÉS AU SEIN DE L'AGENCE.

JE N'AI IDENTIFIÉ AUCUNE TAUPE POUR LE MOMENT.

JE GARDE UN ŒIL SUR LES SPHÈRES DÉCISIONNAIRES. L'IMPLICATION DE L'AGENT TIM CARTER N'EST PAS AVÉRÉE.

TÉLÉCHARGEMENT TERMINÉ. JE POURSUIS MES INVESTIGATIONS.

FIN DE TRANSMISSION.

17.

IL FAIT FRAIS, CE SOIR. TU DEVRAIS METTRE UN BONNET, À DÉFAUT DE TES CHEVEUX.

J'ADORE CETTE VUE !

J'AI SOUVENT IMAGINÉ LE MOMENT OÙ JE MONTRERAIS CETTE CITÉ À ABBEY.

JE SUIS SÛR QU'ELLE AURAIT ADORÉ CET ENDROIT.

MAINTENANT JE SAIS QUE JAMAIS JE NE POURRAI PARTAGER CETTE PARTIE DE MA VIE AVEC ELLE.

ET ALORS ?

CET ENDROIT RESSEMBLE À TERRE BLEUE, N'EST-CE PAS ?

PÈRE... JE...

JE M'Y SUIS RENDU QUELQUES FOIS. C'EST LÀ QUE TOUT A COMMENCÉ, JADIS SUR CETTE PLANÈTE, QUE NOUS FORMÂMES CE QUI DEVINT ENSUITE LA GEEK AGENCY. LA CHUTE DE TERRE BLEUE EST UN VIOLENT COUP PORTÉ AUX FONDATIONS MÊMES DE NOTRE INSTITUTION.

MAIS PARDONNE-MOI D'INTERROMPRE AINSI TON SILENCE. JE SAIS QUELLE DOULEUR T'AFFLIGE ET POURQUOI TU TE RÉFUGIES EN CE LIEU....

ET NE SOIS PAS GÊNÉ DE NE PAS ÊTRE VENU ME VOIR.

JE SUIS DÉSOLÉ, PÈRE !

IL VA TE FALLOIR BEAUCOUP DE COURAGE POUR METTRE TA PEINE DE CÔTÉ ET AFFRONTER LES DANGERS QUI NOUS PRÉOCCUPENT.

JE ME SENS PERDU...

JE REVOIS SANS CESSE LE MOMENT OÙ... ELLE...

NE TE TORTURE PAS AINSI. ADAM A BROSSÉ UN TABLEAU DE CE QUI S'EST PASSÉ SUR TERRE BLEUE.

AS-TU UNE IDÉE DE CE QUI ARRIVE AUX MONDES ? LES PORTAILS DIMENSIONNELS S'OUVRENT COMME DES PLAIES DÉVERSANT LEUR PUTRESCENCE !

J'AI PLUS QUE DES PRÉSOMPTIONS SUR L'IDENTITÉ DE NOS ADVERSAIRES.

JE PENSE QUE LES SEIGNEURS DE LA TERRE PROSCRITE, EXOLIA, SONT DERRIÈRE CES ATTAQUES.

JE CROYAIS QUE CE N'ÉTAIT QUE DE VIEILLES HISTOIRES DE GUERRES D'UN TEMPS RÉVOLU... POURQUOI **MAINTENANT** ?

QU'EN SAIS-JE ?

QUAND LES BLESSURES NE SONT PAS COMPLÈTEMENT GUÉRIES, ELLES REFONT SURFACE, INEXORABLEMENT, ALORS MÊME QU'ON LES CROYAIT DISSOUTES PAR LE TEMPS.

MAIS LE TEMPS NE PEUT RIEN.

PIS ENCORE, ELLES GANGRÈNENT. ALORS, TELLES DES INDOMPTÉES CHARGÉES DE LA HAINE DE L'OUBLI, ELLES FONDENT SUR NOUS, IMPLACABLES.

COMME MA SŒUR...

OUI... NOS ENNEMIS UTILISERONT TOUS LES STRATAGÈMES POUR NOUS **AFFAIBLIR**.

TOUTES NOS FAIBLESSES, NOS PROCHES...

CE SONT DES **LÂCHES** !

UN DERNIER CONSEIL AVANT QUE JE ME RETIRE. FAIS ATTENTION À TOUT CE QUI T'ENTOURE ! ET NE TE FIE PAS AUX APPARENCES. L'ENNEMI PEUT SE LOVER PARTOUT... N'AIE CONFIANCE QU'EN TOI-MÊME ET PERSONNE D'AUTRE. TU M'ENTENDS ? PERSONNE !

QUOI ?!

**PAS MÊME ADAM !**

C'EST UN PEU EXCESSIF !

ÇA POURRAIT ÊTRE VALABLE POUR VOUS AUSSI, PÈRE !

GARDEZ LES BRAS LE LONG DU CORPS.

TÉLÉCHARGEMENT DU PROGRAMME POUR PRICIUS DANS 3 SECONDES !

AVANCEZ, MERCI !

PURÉE, POURQUOI ÇA MET TROIS PLOMBES ?

CALME-TOI, IGOR !

ÇA FAIT DES SEMAINES QU'ILS NOUS PROMETTENT DES AMÉLIORATIONS, ET ON A QUOI ? QUE DALLE !

ON EST EN CRISE, BORDEL !

...

HÉ ! LEURS MAJESTÉS !

IGOR...!

ÇA VOUS EMBÊTERAIT DE FAIRE LA QUEUE COMME TOUT LE MONDE ?!

C'EST À NOUS QU'IL S'ADRESSE, JE CROIS.

LAISSE !

HÉ, J'VOUS PARLE MESSEIGNEURS !

JE M'EN OCCUPE.

T'ES DÉJÀ ASSEZ SUR LES NERFS COMME ÇA !

FAUDRAIT PAS QUE TU NOUS L'ESQUINTES.

AH, BEN VOILÀ ! IL N'A PAS LES ESGOURDES SI ENCRASSÉES QUE ÇA, FINALEMENT.

PAS D'INQUIÉTUDE ! JE SUIS CERTAIN QU'ON T'A ENTENDU JUSQU'À L'AUTRE BOUT DE L'AGENCE !

ALORS MAINTENANT, TOI ET TON COPAIN, VOUS FAITES DEMI-TOUR ET VOUS VOUS FLANQUEZ DANS LA FILE !

ON EST *TOUS* SPÉCIAUX, L'EMPAFFÉ !

Y A PAS D'ACCRÉDITATION QUI TIENNE !

ALLEZ... JUSTE UNE DERNIÈRE FOIS, POUR VOIR...

C'EST FAIT POUR !

AGENT SPÉCIAL, MISSION SPÉCIALE, ACCRÉDITATION SPÉCIALE.

TOI ET LE BARBU, VOUS RENTREZ DANS LE RANG ! ET JE NE ME RÉPÉTERAI PAS... !

TU ME CHERCHES, TU ME TROUVES !

BIM

BOOM

JE NE SAIS PAS SI J'Y SERAIS ALLÉ AUSSI FORT...

IL M'A ÉNERVÉ !

QUAND MÊME ! ÇA VA TE VALOIR UN BLÂME !

T'AS UNE SACRÉE FORCE, EN TOUT CAS !

J'AVAIS PAS FAIT GAFFE À ÇA !

TU NE SAIS PAS TOUT, TIM...

GEEKERS, DANS QUELQUES INSTANTS, VOUS ALLEZ REJOINDRE VOS JURIDICTIONS, LES MONDES QUE VOUS AVEZ JURÉ DE DÉFENDRE, DE PROTÉGER, REJOIGNANT AINSI LE PANTHÉON DES HÉROS.

CE POURQUOI VOUS VOUS ÊTES ENGAGÉS DANS LA **GEEK AGENCY** PREND TOUT SON ÉCLAT AUJOURD'HUI, EN CES HEURES SOMBRES.

"LE MONDE "TERRE BLEUE" EST TOMBÉ SOUS L'ASSAUT ÉCLAIR ET TRAÎTRE DE L'ENNEMI. UN DEUXIÈME, **DURAGON**, EST LA PROIE D'UNE TERRIBLE INVASION. D'AUTRES SONT EN ALERTE MAXIMALE, PRÊTS À REPOUSSER L'ENVAHISSEUR."

"CES MONDES ONT BESOIN DE VOUS, DE **TOUTES** VOS RESSOURCES."

"NOUS, GEEKERS, ALLONS LIVRER LE PLUS GRAND COMBAT QUE NOUS AYONS EU À MENER POUR LE PLURIVERSE. NOUS ALLONS NOUS DRESSER ET COMBATTRE SANS FAIBLIR, UNIS DANS UN INTÉRÊT COMMUN."

"NOUS SOMMES, UNE FOIS DE PLUS, RÉUNIS POUR DÉFENDRE LA LIBERTÉ, L'ORDRE ET L'ENGAGEMENT DE NON-INGÉRENCE ENTRE LES MONDES..."

"... RÉUNIS AUTOUR D'UNE SEULE IDÉE DE JUSTICE ET DE CROISSANCE LIBERTAIRE ET UNITAIRE, FACE À UN ENNEMI SÉPARATISTE ET TYRANNIQUE..."

"... DONT LA SEULE AMBITION EST DE VOIR NOTRE SYSTÈME TOUT ENTIER TOMBER SOUS SA DOMINATION."

"NE NOUS Y TROMPONS PAS ! NOTRE ADVERSAIRE EST PLUS FORT ET DÉTERMINÉ QUE JAMAIS. IL EST PARTOUT ET REVÊT DE MULTIPLES VISAGES. SES FRAPPES SONT CHIRURGICALES ET SANS PITIÉ."

"IL INFILTRE CHAQUE MONDE, L'UN APRÈS L'AUTRE, SANS SOMMATION. IL EST LE CONNU ET L'INCONNU."

"GEEKERS, L'UNIVERS VOUS A FAIT DON D'UN POUVOIR ET D'UNE RESPONSABILITÉ INCOMMENSURABLES EN VOUS CHOISISSANT COMME GARDIENS DE SON INTÉGRITÉ."

"J'AI CONSCIENCE DU POIDS QUI **PÈSE** SUR VOS ÉPAULES."

"ET JE M'ADRESSE AUJOURD'HUI À VOUS TOUS, À CHACUN D'ENTRE VOUS, DU PLUS PROFOND DE MON ÊTRE."

"**GEEKERS**, PORTEZ VOS COULEURS, VOS RACINES ET VOS VALEURS BRAVEMENT, COURAGEUSEMENT."

"ET SOYEZ FIERS D'ÊTRE LE REMPART ULTIME FACE À LA PIRE MENACE QUE NOTRE PLURIVERSE AIT JAMAIS CONNUE."

"PLUS QUE JAMAIS, VOUS ÊTES DES AGENTS DE LA **GEEK AGENCY**. PLUS QUE JAMAIS, LES MONDES DE VOS JURIDICTIONS ONT BESOIN DE VOUS ET COMPTENT SUR VOUS."

... DE VÉRITABLE HÉROS ! DES HÉRAUTS LÉGENDAIRES !

QUE LA VICTOIRE VOUS ACCOMPAGNE. SOYEZ INSPIRÉS ET INSPIRANTS POUR DES GÉNÉRATIONS ET DES GÉNÉRATIONS !

SOYEZ CE QUE VOUS AVEZ TOUJOURS ÉTÉ, CE QUE VOUS ÊTES ET CE QUE VOUS SEREZ À JAMAIS...

CODES VÉRIFIÉS. COORDONNÉES EN PROVENANCE DE L'AGENCE SÉCURISÉES !

ANCRAGE DU PORTAIL. AMARRAGE EFFECTIF.

DURAGON.

BIENVENUE, AGENTS GEEKERS !

KISHI !

J'AI BIEN CRU QUE NOUS T'AVIONS PERDU, TOI ET TES NEVEUX !

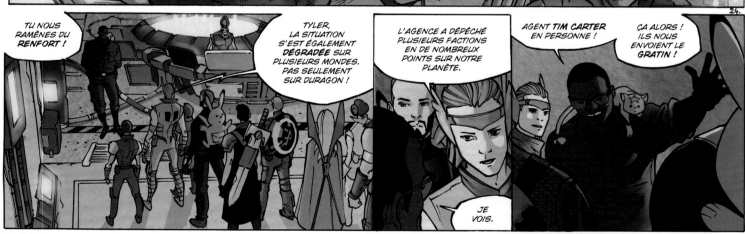

TU NOUS RAMÈNES DU RENFORT !

TYLER, LA SITUATION S'EST ÉGALEMENT DÉGRADÉE SUR PLUSIEURS MONDES. PAS SEULEMENT SUR DURAGON !

L'AGENCE A DÉPÊCHÉ PLUSIEURS FACTIONS EN DE NOMBREUX POINTS SUR NOTRE PLANÈTE.

AGENT TIM CARTER EN PERSONNE !

ÇA ALORS ! ILS NOUS ENVOIENT LE GRATIN !

JE VOIS.

COMMENT VAS-TU ?

JE SUIS SI CONTENT QU'ILS NOUS AIENT ENVOYÉ UN SPÉCIALISTE DE DURAGON TEL QUE TOI !

ET JE CONSTATE AVEC JOIE QUE TU AS TOUJOURS LE TOTEM QUE JE T'AI OFFERT.

A TANKA, ILS ONT DRESSÉ UNE STÈLE EN TON NOM ! N'EST-CE PAS MAGNIFIQUE ?

EN L'HONNEUR DU HÉROS LIBÉRATEUR !

TU TE SOUVIENS DE WIKIDIAS ? IL VA VOUS FAIRE UN BREF TOPO DE LA SITUATION !

"CELLES COURONNÉES DE SUCCÈS FURENT EMPLOYÉES À DES TÂCHES REQUÉRANT UNE GRANDE CONDITION PHYSIQUE. EN GROS, DES BÊTES DE SOMME."

"MALGRÉ CELA, LES PLUS ÉVOLUÉS D'ENTRE EUX SE HISSÈRENT À DES POSTES DE CONTREMAÎTRES, ENCADRANT ET VEILLANT AU BON FONCTIONNEMENT DE LEURS COMMUNAUTÉS RESPECTIVES."

"LA CONFÉDÉRATION LEUR ACCORDA UN ACCÈS TRÈS LIMITÉ À LA CONNAISSANCE POUR LES MAINTENIR SOUS CONTRÔLE."

"S'ACQUITTANT DONC DE TOUTES CES BASSES BESOGNES DONT LEURS CRÉATEURS NE VOULAIENT PLUS..."

"ILS FURENT CONFINÉS DANS CES FONCTIONS INGRATES PENDANT..."

"DES SIÈCLES ET DES SIÈCLES, SANS QU'ILS NE REMETTENT RIEN EN QUESTION..."

"JUSQU'À CE QUE LEUR CONSCIENCE NE S'ÉVEILLE À SON TOUR."

"ENFIN CONSCIENTS DE LEUR CONDITION "D'ESCLAVES" ET DANS LE CONTEXTE D'UNE CIVILISATION OUVERTE, CONSCIENTS DE TOUT CE QU'ILS NE POUVAIENT OBTENIR DE LEURS CRÉATEURS..."

"ILS COMMENCÈRENT À S'ORGANISER, À SE RASSEMBLER AUTOUR DE QUELQUES MENEURS DISSIDENTS, LESQUELS PROVENAIENT DES HAUTES CASTES."

"DES GUERRES CIVILES SE DÉCLENCHÈRENT DE-CI DE-LÀ."

"PUIS, QUELQUES ANNÉES PLUS TARD, UN CONFLIT SANS PRÉCÉDENT ÉCLATA SUR TERRE BLEUE."

"YONAGUNI, OÙ LA DENSITÉ D'ESCLAVES ÉTAIT LA PLUS FORTE, FUT ASSIÉGÉE ET LAISSÉE EN RUINES."

"DE LÀ, ILS LANCÈRENT DE VIOLENTES ATTAQUES SUR D'AUTRES CONTINENTS COMME L'ATLANTIDE ET LA LÉMURIE."

"LA TERRE FUT LE THÉÂTRE DE DÉVASTATIONS MAJEURES..."

"CE QUI EUT POUR CONSÉQUENCE UN EXODE MASSIF DE LA POPULATION SUR D'AUTRES PLANÈTES."

"LES LEADERS DE CETTE RÉVOLUTION S'AUTOPROCLAMÈRENT DIRIGEANTS ET REPRÉSENTANTS DE CETTE NOUVELLE NATION. LES SEKAÏ ÉTAIENT NÉS."

"MALGRÉ LEUR ACHARNEMENT, ILS PERDIRENT LA GUERRE EN RAISON DE LEUR TROP FAIBLE AVANCE TECHNOLOGIQUE."

"SUR CE POINT-LÀ, LEURS CRÉATEURS LES DOMINAIENT TRÈS LARGEMENT, AINSI QU'EN GÉNIE MILITAIRE."

"LA REDDITION DES SEKAÏ TOMBA, DES TÊTES AUSSI, ET LE JUGEMENT FUT PRONONCÉ : L'EXIL, LE BANNISSEMENT TOTAL DE TOUTE LA POPULATION REBELLE SUR EXOLIA, LES LIVRANT À EUX-MÊMES ET LAISSANT LA NATURE SE CHARGER DE LEUR DESTINÉE."

"LES SAGES, LES JIANZHÙ, SE CHARGÈRENT DU RETOUR À L'ORDRE."

LA CONFÉDÉRATION SE DIVISA ET DÉCRÉTA LE SCELLÉ DES PORTAILS INTERMONDES, LIMITANT AU MAXIMUM TOUT ÉCHANGE ENTRE LES CIVILISATIONS. LES QUELQUES PORTAILS RESTANTS FURENT PLACÉS SOUS L'AUTORITÉ EXCLUSIVE DE LA POLICE DES MONDES.

L'ATLANTIDE, OU CE QU'IL EN RESTAIT, FUT DÉPLACÉE DANS UN UNIVERS PARALLÈLE ET NEUTRE, À L'ABRI DE TOUTE OBSERVATION. ELLE DEVINT LA BASE GÉNÉRALE DE LA GEEK AGENCY. LES SURVIVANTS RESTÉS SUR TERRE BLEUE REBÂTIRENT DE ZÉRO DE NOUVELLES CIVILISATIONS.

ET KRAAL, LÀ-DEDANS ?

IL ÉTAIT TRÈS BIEN INTÉGRÉ DANS LES HAUTES SPHÈRES DE LA CONFÉDÉRATION. UN DES RARES SAÏ À ÊTRE PARVENUS À OCCUPER D'IMPORTANTES FONCTIONS PARMI LES HUMAINS.

AVANT D'ÊTRE CONDAMNÉ À L'EXIL, IL FUT SEIGNEUR DE DURAGON.

ELLE EST PASSÉE OÙ ?

SUMEI ?

SUMEI !!

FAITES GAFFE !

ÇA SENT LE TRAQUENARD !

CHEE-EERS !

CHOOM

BORDEL !

BOOM BOOM BOOM BOOM BOOM BOOM BOOM

JE RÊVE !

CETTE FILLE EST COMPLÈTEMENT BARGE !

SUMEI ! NON, MAIS TU T'ES LEVÉE DU PIED GAUCHE, OU QUOI ?!

RELAX !

JE VOULAIS VÉRIFIER VOS UPDATES À L'EXCEPTION DES NATIFS !

EH, LES DEUX, LÀ !

OUAIS ! VOUS !

HORS DE MA VUE !

VOUS ÊTES SUR DURAGON, PAS SUR BARBIELAND !

SANS UPDATE VALIDE, VOUS NE SERVEZ À RIEN !

RETOURNEZ À L'AGENCE !

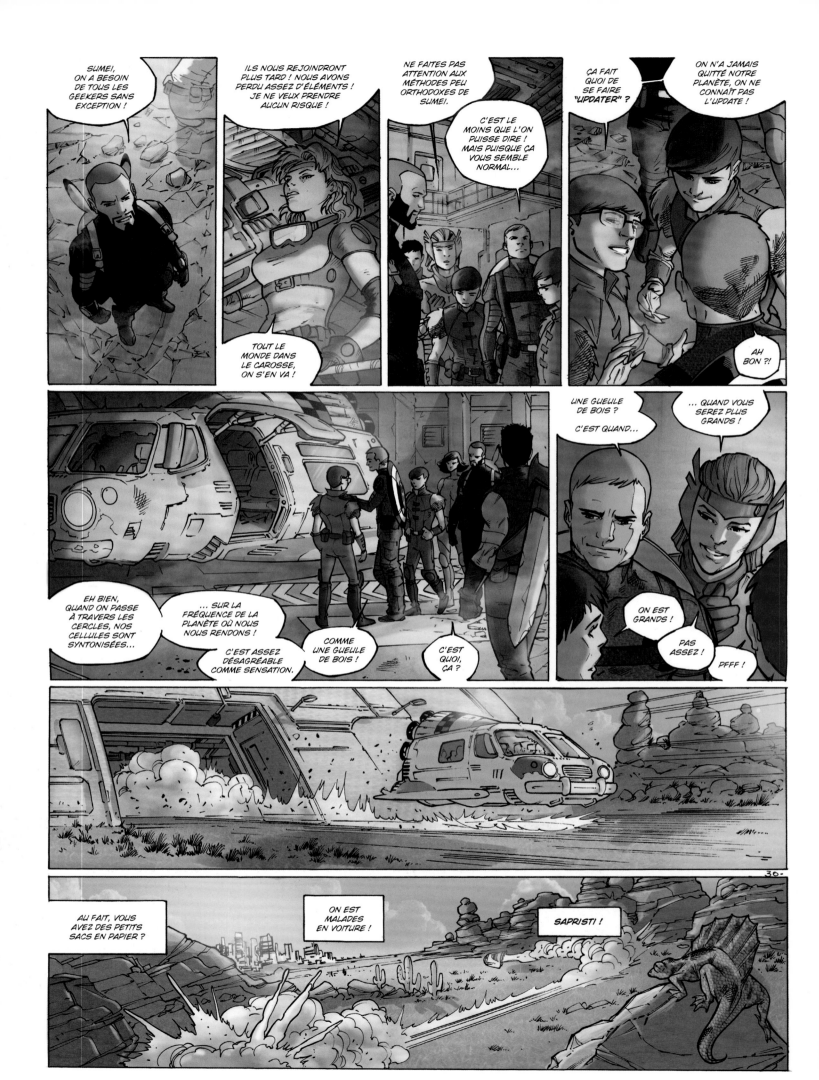

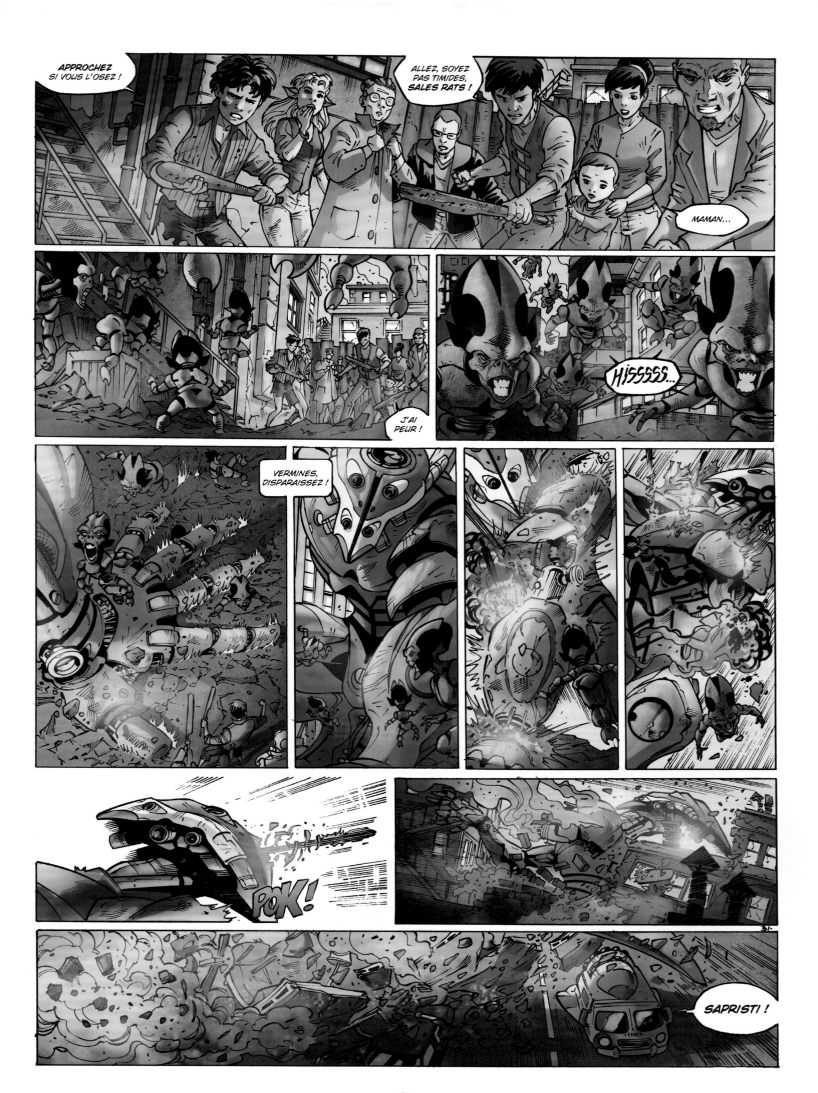

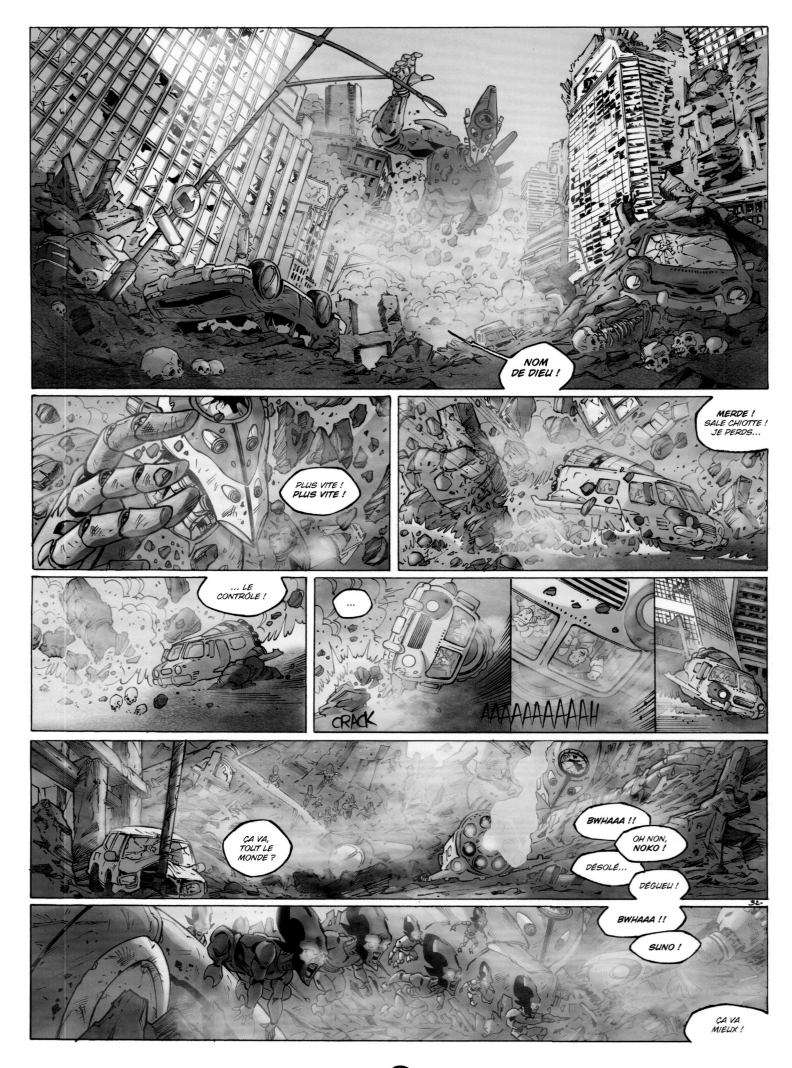

MENTEUR !

TU N'ES QU'UN SALE MENTEUR !

CRAK

MENTEUR !

TU M'AS LAISSÉE TOMBER, PUIS TU M'AS OUBLIÉE !

JE VEUX QUE TU SOUFFRES COMME J'AI SOUFFERT !

TCHAC

AURORE ! ARRÊTE ÇA !

JE NE T'AI PAS OUBLIÉE ! ILS M'ONT FORCÉ À CROIRE QUE TU N'EXISTAIS PAS !

CRAC

MENTEUR !

ILS M'ONT FORCÉ À CROIRE QUE JE T'AVAIS INVENTÉE !

UNGH !

CRAC

QUI ÇA, "ILS" ?

TOUT LE MONDE À L'AGENCE ! DES MÉDECINS AU SUPERVISEUR !

PERSONNE N'A VOULU CROIRE À MON HISTOIRE. PERSONNE N'A CRU EN TON EXISTENCE !

C'EST PAS VRAI !

TU MENS...

BON SANG ! QU'EST-CE QUE TU FAIS LÀ ?!

HEIN ?!

TU LA VOIS ?

TU CONNAIS MA SŒUR ?

TOI !

DISPARAIS !

GGAA...

FSSHOOM

NON !

À NOUS DEUX, MON-SEIGNEUR !

CHAUD DEVANT, CHAUD !

WOOOSH

OUPS ! RAPIDE, QUAND MÊME !

NO SOUCY ! JE T'AI TOUJOURS SUR MON ÉCRAN RADAR.

ET BIM !

C'EST TOUT ?!

BOOM

AURORE, JE T'EN PRIE...

LAISSE-MOI T'AIDER...

AAAAARRRGH

AURORE !

38-

MORGANA !

CETTE SIGNATURE ÉNERGÉTIQUE... JE LA CONNAIS !

NOUS SOMMES RAVIS DE LA TOURNURE DES ÉVÈNEMENTS SUR DURAGON. LE PLAN FONCTIONNE À MERVEILLE.

KRAAL N'ÉTAIT QU'UN CRÉTIN ARROGANT ET D'UN AUTRE TEMPS. SON COMPORTEMENT PRÉVISIBLE A BIEN FAIT NOS **AFFAIRES**.

LES **GEEKERS** ACCULÉS ONT ÉTÉ CONTRAINTS, POUR SAUVER LEUR VIE, D'UTILISER UN PORTAIL **CLANDESTIN** SANS AVOIR PRIS LE TEMPS DE BROUILLER LES COORDONNÉES.

NOUS AVONS PU ALORS REMONTER LEURS TRACES JUSQU'À **TERRAX**, D'OÙ LE SIGNAL A ÉTÉ ÉMIS. L'ÉTAU SE RESSERRE, MES AMIS. IL SE RESSERRE SUR CETTE CELLULE INDÉPENDANTE.

DÉBARRASSÉS DE CETTE CONFRÉRIE SÉCULAIRE GARDIENNE DE L'INTÉGRITÉ DES GEEKERS, RIEN NE POURRA ENTRAVER NOTRE COMBAT POUR LE RENVERSEMENT DE LA CONFÉDÉRATION.

MAIS NE CRAIGNEZ-VOUS PAS QUE LA PRÉSENCE DU DESCENDANT DE MYRDHIM AU CŒUR DE LA CELLULE NE SE RETOURNE CONTRE VOUS, S'IL VENAIT À APPRENDRE TOUTE LA VÉRITÉ SUR VOUS ET SA FAMILLE ?

N'OUBLIEZ PAS QUE J'AI ÉLEVÉ **TIM** COMME MON FILS AUX YEUX DE TOUS, ET **TOUS** SE MÉFIERONT DE LUI DANS CETTE CELLULE.

IL Y A DE FORTES CHANCES QU'ILS NE LUI LIVRENT RIEN DE CE QU'ILS SAVENT, POUR PEU QU'ILS SACHENT QUOI QUE CE SOIT.

DANS LE CAS CONTRAIRE, JE SAURAI FAIRE FACE. IL ME RESTE QUELQUES **ATOUTS** DANS LA MANCHE, ET PAS DES **MOINDRES**.

ET À PROPOS DE L'AGENT **ADAM** PRIOR ?

MES SOUPÇONS SUR LA DOUBLE CASQUETTE D'ADAM SEMBLENT SE CONFIRMER. ET LORSQUE SON MASQUE TOMBERA, IL Y A FORT À PARIER QUE TIM CONSIDÉRERA ALORS SON SOI-DISANT AMI COMME UN **TRAÎTRE**.

UN TRAÎTRE ENVERS LA **GEEK AGENCY** ET UN TRAÎTRE ENVERS **MOI**.

CES APPARENCES TROMPEUSES JOUENT EN NOTRE FAVEUR.

LES PIÈCES DU PLAN SONT EN PLACE ET NOUS ALLONS POUVOIR JOUER **BRILLAMMENT** LA PARTIE.

BIENTÔT, NOUS NOUS GLORIFIERONS DE L'AVÈNEMENT DE L'ÈRE DES SEKAÏ.

GLOIRE AUX SEKAÏ !

GLOIRE AUX SAÏ !

GLOIRE AUX SEKAÏ !

# I WANT YOU
## FOR GEEKERS ARMY !

★ ★ ★ ★ ★

**GAGNANTS DU CONCOURS, BIENVENUE DANS L'AGENCE !**

★ ★ ★ ★ ★

VOUS AVEZ ÉTÉ SÉLECTIONNÉS POUR REJOINDRE NOS RANGS DANS LE PROCHAIN TOME DE GEEK AGENCY ! RENDEZ-VOUS EN SALLE D'UPDATE ET TENEZ-VOUS PRÊTS : DES HEURES SOMBRES S'ANNONCENT...

UN GRAND MERCI À TOUS LES PARTICIPANTS !